狼外婆

聪明勇敢、胆大心细

cóngqián yǒu gè lǎo pó
1. 从前有个老婆

po tí zhe yì lán bāo zi qù
婆，提着一篮包子去

kàn wàng sūn nǚ ér
看望孙女儿。

老婆婆手里提着什么？

zhè shí tā yù dào yì zhī dà huī láng dà huī láng jiāng bāo zi hé lǎo pó po yì qǐ chī le

2. 这时她遇到一只大灰狼，大灰狼将包子和老婆婆一起吃了。

大灰狼的肚子为什么圆鼓鼓的?

dà huī lángzhuāngbànchéng lǎo pó po lái dào sūn nǚ jiā kuài kāi mén
3. 大灰狼 装 扮 成 老婆婆来到孙女家，“快开门

ya nǐ men de wài pó lái le
呀，你们的外婆来了！”

大灰狼穿着谁的衣服？

yú shì mèi mei chōng guò qù bǎ mén dǎ kāi le

4. 于是妹妹冲过去，把门打开了。

屋里有几个人？

wǎnshang jiě jie fā xiàn wài pó yǒu yì tiáo láng wěi ba biàn zhī dào shì
5. 晚上，姐姐发现外婆有一条狼尾巴，便知道是
zěn me huí shì le
怎么回事了。

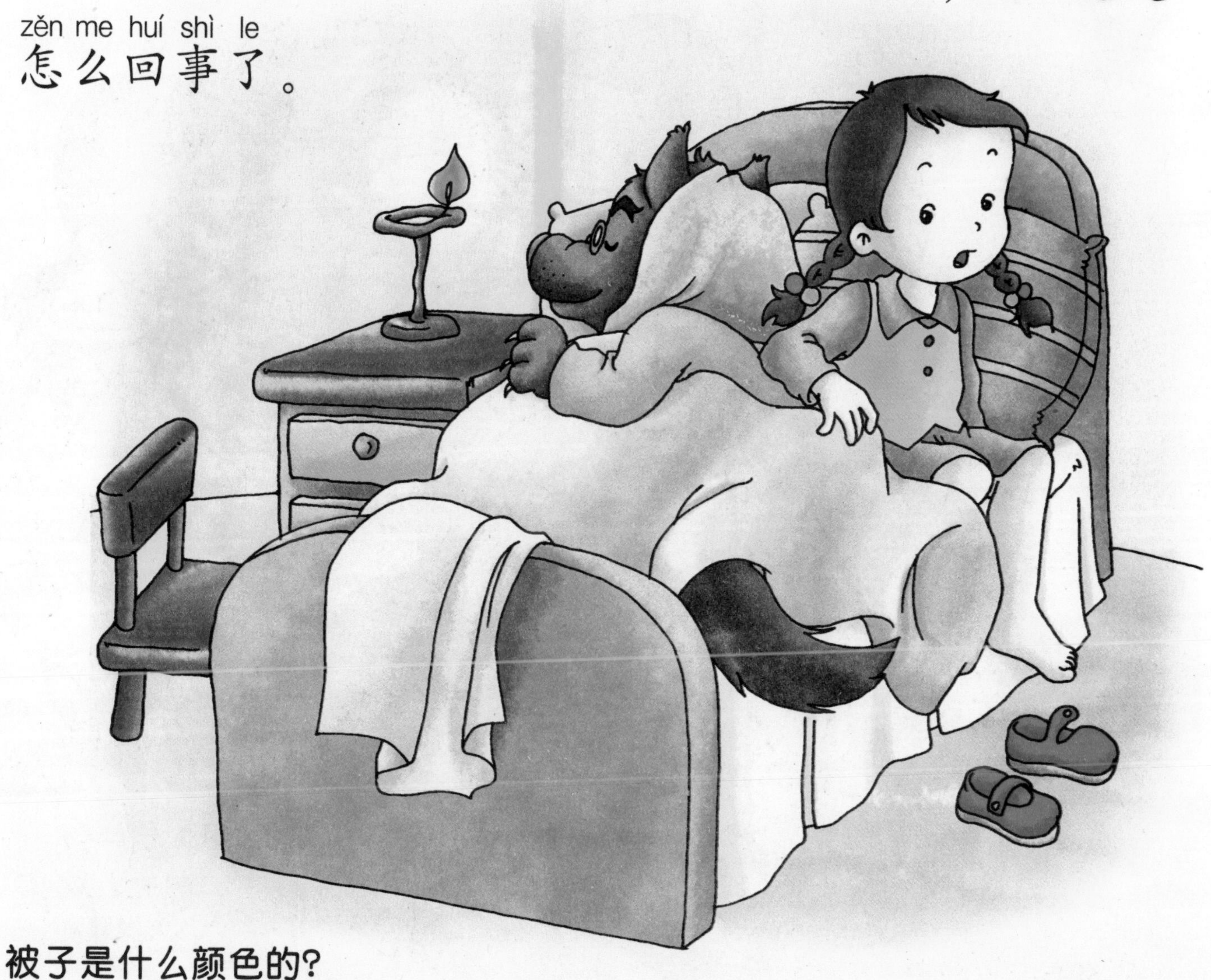

被子是什么颜色的？

jiě mèi sān gè shuō yào sā niào yú shì ná zhe yóu hé shéng zi pá dào
6. 姐妹三个说要撒尿，于是拿着油和绳子爬到

yuàn zi li de shù shang
院子里的树上。

三姐妹手里拿着什么？

dà huī láng jiàn sān jiě mèi méi yǒu huí lái yú shì pǎo dào yuàn zi li
7. 大灰狼见三姐妹没有回来，于是跑到院子里，
kàn dào tā men zài shù shang kě huá liū liu de shù
看到她们在树上，可滑溜溜的树
shēn zěn me yě pá bú shàng qù
身怎么也爬不上去。

这是白天还是晚上？

zhè shí sān jiě mèi fàng xià shéng zi lā zhù dà huī láng gāng lā le yí
8. 这时三姐妹放下绳子拉住大灰狼，刚拉了一

bàn jiě mèi men yì sōng shǒu dà huī láng
半，姐妹们一松手，大灰狼

diào zài dì shang shuāi sǐ le
掉在地上摔死了。

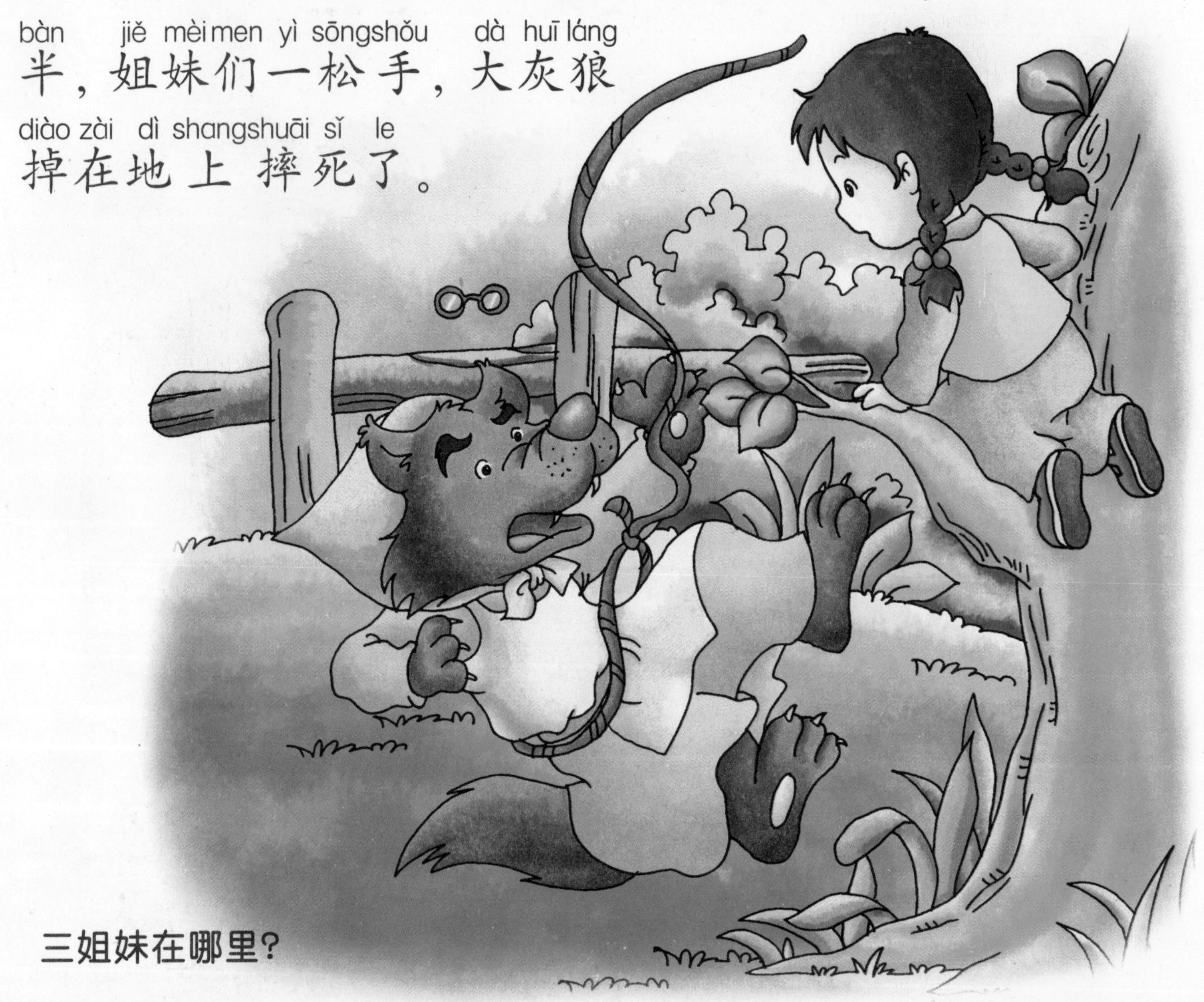

三姐妹在哪里？

为什么鸡叫太阳就出来

待人真诚、热情

gǔ shí hou tiānshang kě bù zhǐ yǒu yí gè tài yáng ér shì yǒu jiǔ gè
1. 古时候，天上可不止有一个太阳，而是有九个。

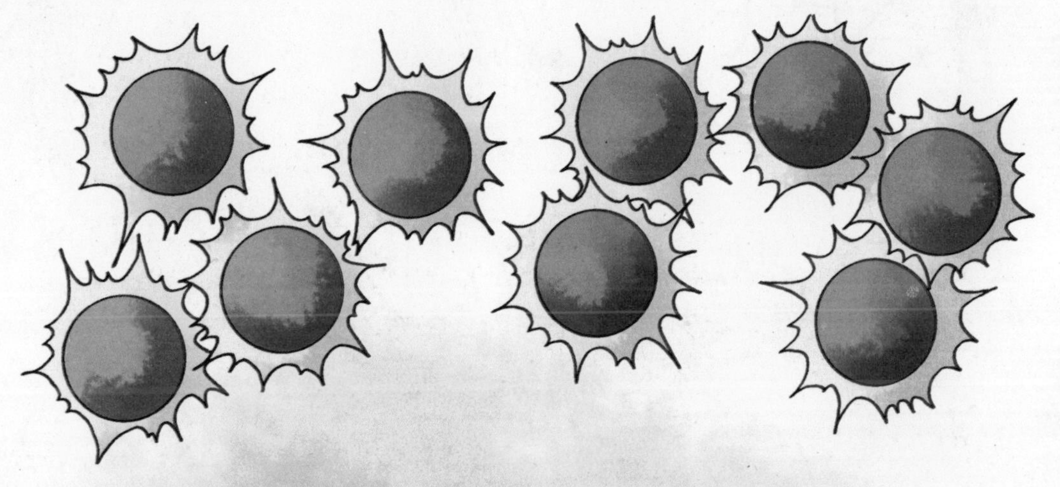

天上有几个太阳？

rén men bèi kǎo de shòu bù liǎo yú shì zhǎo lái dà lì shì shè tài yáng

2. 人们被烤得受不了，于是找来大力士射太阳。

大力士力气大吗?

dà lì shì yì lián shè
3. 大力士一连射
xià bā gè zuì hòu yí gè duǒ dào
下八个，最后一个躲到
shān bèi hòu qù le
山背后去了。
大力士手里拿着什么？

zhè shí tiān biàn de hěn hēi, rén men jiù qù qǐng jiāo ào de yún què chàng

4. 这时天变得很黑，人们就去请骄傲的云雀唱

gē, xiǎng bǎ tài yáng chàng chū lái

歌，想把太阳唱出来。

树上有什么小动物？

bù guǎn yún què zěn me chàng　tài yáng hái shì bù chū lái

5. 不管云雀怎么唱，太阳还是不出来。

rén men yòu qǐng lái huáng yīng chàng yě méi yǒu yòng

6.人们又请来黄莺唱,也没有用。

谁又站在树上唱歌?

zhè shí rén menqǐng lái qín láo yǒnggǎn de dà gōng jī tài yángtīng dào
7. 这时人们请来勤劳勇敢的大公鸡，太阳听到
gōng jī de shēng yīn hěnzhēnchéng rè
公鸡的声音很真诚热
qíng yú shì jiù chū lái le
情，于是就出来了。

cóng cǐ yǐ hòu zhǐ yào gōng jī
8. 从此以后，只要公鸡
chàng sān biàn tài yáng jiù chū lái le
唱三遍，太阳就出来了。

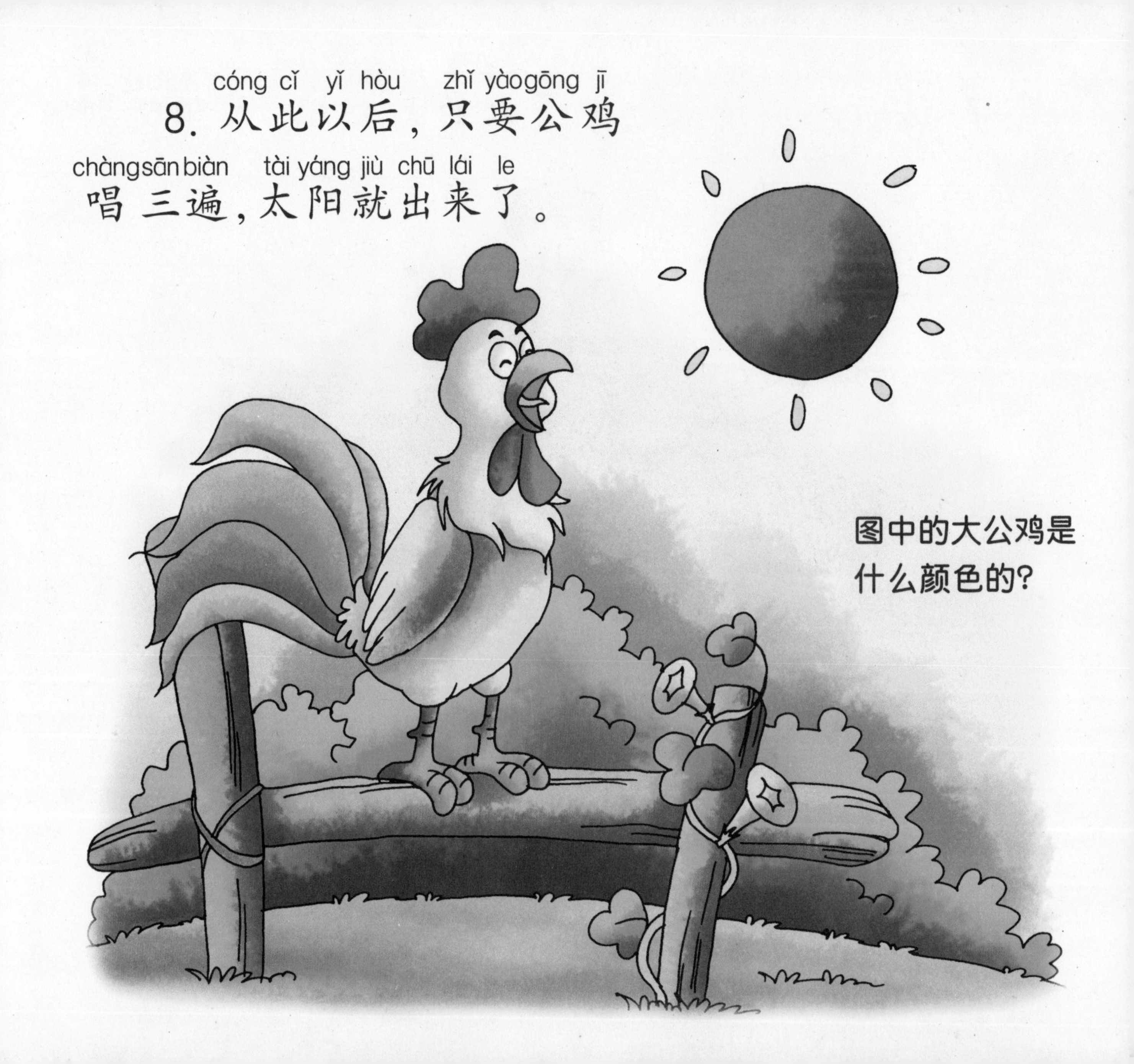

图中的大公鸡是
什么颜色的?

小蝌蚪找妈妈

勤学、好问

chí táng li zhù zhe yì qún huó pō kě ài de xiǎo kē dǒu tā men
1. 池塘里住着一群活泼可爱的小蝌蚪，它们

xiǎng zhǎo zì jǐ de mā ma
想找自己的妈妈。

池塘里有什么动物?

xiā gōnggonggào su tā men nǐ men de mā ma yǎn jing shì yuányuán de
2. 虾公公告诉他们：“你们的妈妈眼睛是圆圆的、

gǔ gǔ de
鼓鼓的……”

虾公公是什么颜色的?

xiǎo kē dǒu yóu a yóu yù jiàn le yǎn jing gǔ gǔ de jīn yú yú shì jiù
3. 小蝌蚪游啊游，遇见了眼睛鼓鼓的金鱼，于是就
yì qǐ jiào mā ma
一起叫“妈妈”。

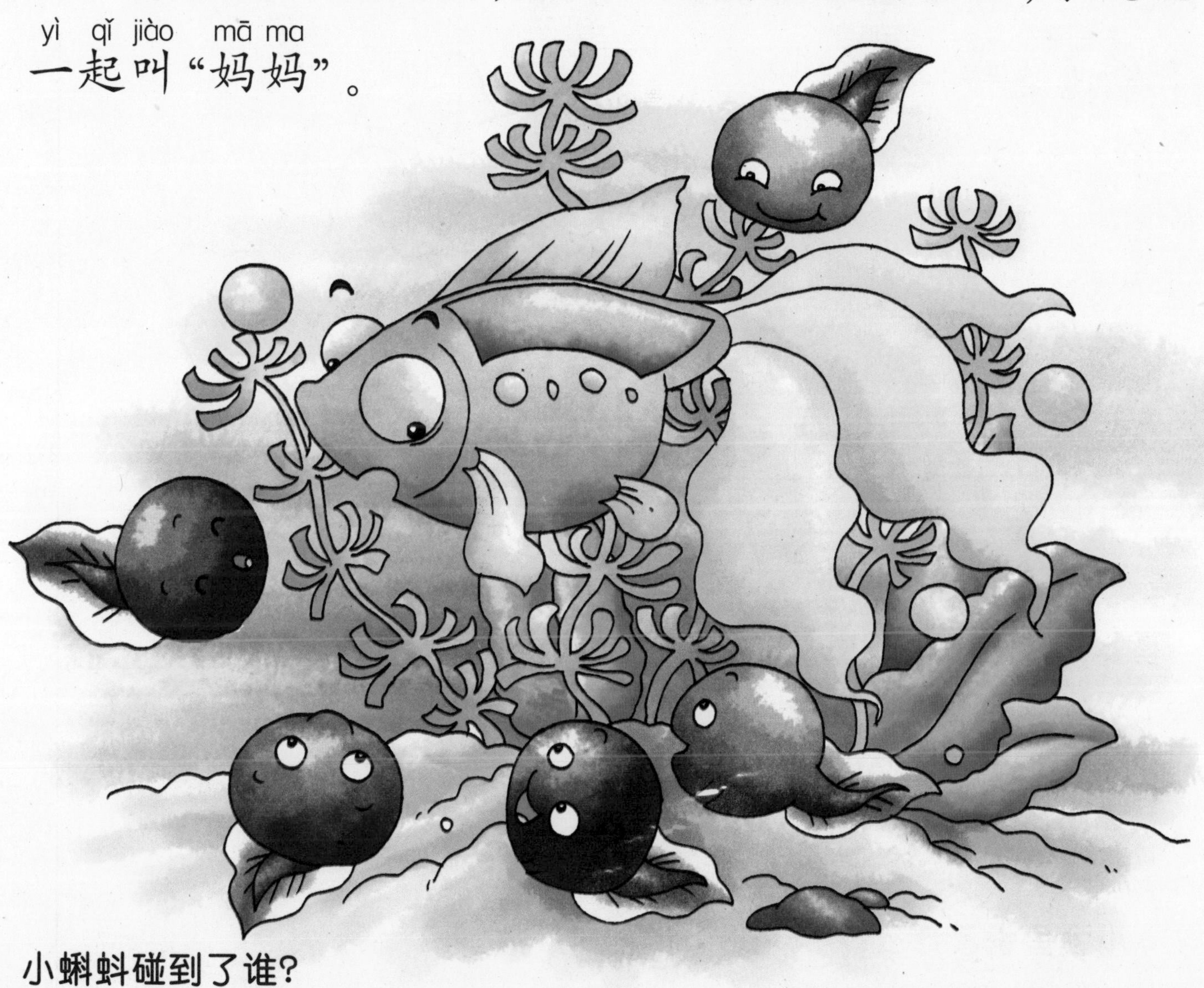

小蝌蚪碰到了谁？

xiǎo jīn yú shuō wǒ bú shì nǐ men de mā ma nǐ men de mā ma
4. 小金鱼说:“我不是你们的妈妈，你们的妈妈

yǒu sì tiáo tuǐ
有四条腿……”

小金鱼说了什么?

xiǎo kē dǒu yóu a yóu kàn jiàn le sì tiáo tuǐ de wū guī yú shì yì

5. 小蝌蚪游啊游，看见了四条腿的乌龟，于是一

qǐ jiào mā ma

起叫“妈妈”。

乌龟有几条腿?

wū guī shuō　wǒ bú shì nǐ men de mā ma　nǐ men mā ma de dù

6. 乌龟说:“我不是你们的妈妈,你们妈妈的肚

pí shì xuě bái de

皮是雪白的……”

小蝌蚪们为什么又失望了?

xiǎo kē dǒu yòu kàn jiàn bái dù pí de páng xiè yòu yì qí hǎn mā
7. 小蝌蚪又看见白肚皮的螃蟹，又一齐喊“妈

ma páng xiè shuō nǐ men de mā ma shì gè dà zuǐ ba
妈”，螃蟹说：“你们的妈妈是个大嘴巴。”

小蝌蚪长了几条腿？

xiǎo kē dǒu kàn jiàn yì zhī dà zuǐ ba de qīng wā dūn zài hé yè shang
8. 小蝌蚪看见一只大嘴巴的青蛙蹲在荷叶上，
xiǎo kē dǒu zhōng yú zhǎo dào le mā ma fēi cháng gāo xìng
小蝌蚪终于找到了妈妈，非常高兴。

小蝌蚪找到妈妈了吗？
它们的妈妈是谁？

鳄鱼的下场

yǒu yì qún hóu
1. 有一群猴
zi zhèng zài hé biān de shù
子正在河边的树
shangwánshuǎ zhè shí lái
上玩耍，这时来
le yì zhī è yú
了一只鳄鱼。

图中树上有什么？

yì zhī xiǎo hóu zi yǐ wéi shì yí kuài jiāo shí yú shì tiào dào è yú shēnshang
2. 一只小猴子以为是一块礁石，于是跳到鳄鱼身上。

河里有什么动物?

è yú yì kǒu bǎ xiǎo hóu zi tūn jìn dù zi li
3. 鳄鱼一口把小猴子吞进肚子里。

鳄鱼是什么颜色的?

zhè shí lǎo hóu zi xiǎngchū yí gè
4. 这时老猴子想出一个
chéng fá è yú de bàn fǎ bìng bǎ bàn fǎ
惩罚鳄鱼的办法，并把办法
gào su dà jiā
告诉大家。

哪一只是老猴子，你怎么知道？

tā men chèn è yú shuì zháo shí, ná yì gēn cháng shéng zi, jì zài è yú shēn shang.

5. 它们趁鳄鱼睡着时，拿一根长绳子，系在鳄鱼身上。

猴子手里拿着什么？

hóu zi men
6. 猴子们

yì qǐ tiào dào yì gēn
一起跳到一根
shù zhī shang bǎ shéng
树枝上，把绳
zi de lìng yì tóu jì
子的另一头系
zài shù zhī shang
在树枝上。

两只小猴子为什么坐在树枝上？

hóu zi men yì qǐ lí kāi shù

7. 猴子们一起离开树

zhī jié guǒ è yú bèi tán le qǐ lái

枝，结果鳄鱼被弹了起来。

谁被吊了起来?

è yú bèi
8.鳄鱼被
diào le qǐ lái hóu
吊了起来，猴
zi mengāoxìng dé tiào
子们高兴得跳
le qǐ lái
了起来。
猴子们的办法成功了吗?

猴子捞月

看问题不能只看表面

yì tiān wǎnshang yì
1. 一天晚上，一
qún hóu zi zài jǐng biān kuài
群猴子在井边快
lè de wánshuǎ
乐的玩耍。

井边有几只猴子?

zhè shí yì zhī hóu zi kàn jiàn jǐng li yǒu yí gè yuèliàng

2. 这时一只猴子看见井里有一个月亮。

井边的花是什么颜色?

bù hǎo le bù hǎo le yuèliang diào dào jǐng li le xiǎo hóu

3."不好了，不好了，月亮掉到井里了！"小猴

zi dà shēng de jiào zhe

子大声地叫着。

猴子们为什么非常慌张？

yú shì hóu zi men dào guà
4. 于是，猴子们倒挂
zhe xiǎng bǎ yuè liang lāo shàng lái
着，想把月亮捞上来。

图中小猴子怎样捞月亮?

jǐng shuǐ bèi hóu zi

5. 井水被猴子

yì jiǎo yuè liang bú jiàn le

一搅，月亮不见了。

月亮为什么会不见了？

guò le yí huì er jǐng shuǐ huī fù le píng jìng
6. 过了一会儿，井水恢复了平静，
jǐng li yòu chū xiàn le yuè liang
井里又出现了月亮。

井里又出现了什么？

zhè shí lǎo hóu zi tái
7. 这时，老猴子抬
tóu yí kàn yí yuèliang bú shì
头一看，“咦！月亮不是
hái guà zài tiānshang ma
还挂在天上吗？”

谁发现了月亮在天空中？

hóu zi men zhè
8. 猴子们这
cái míng bai jǐng li yuán lái
才明白井里原来
zhǐ shì yuè liang de yǐng zi
只是月亮的影子。

井中出现的真是月亮吗？

小马过河

不依赖别人，亲身体会、大胆尝试

yì tiān　lǎo mǎ
1. 一天，老马

ràngxiǎo mǎ　bǎ bàn dài miàn
让小马把半袋面

fěn　tuó dào mò fáng qù
粉驮到磨坊去。

小马身上背着什么？

yì tiáo xiǎo hé dǎng zhù le xiǎo mǎ de qù lù

2. 一条小河挡住了小马的去路，

yú shì tā biàn wèn niú bó bo hé shuǐ yǒu duō shēn

于是它便问牛伯伯河水有多深。

小河边长满了什么?

lǎo niú shuō zhè hé shuǐ ya gānggāng yān guò wǒ de jiǎo hòu gēn ne
3. 老牛说：“这河水呀刚刚淹过我的脚后跟呢！”

xiǎo mǎ xiè guò niú bó bo zhǔn bèi
小马谢过牛伯伯，准备

guò hé le
过河了。

老牛有几只牛角？

yì zhī xiǎosōngshǔ liánmángjiào dào wēi xiǎn bú yào guò hé
4. 一只小松鼠连忙叫道：“危险，不要过河！
nǐ huì bèi yān sǐ de
你会被淹死的！”

小松鼠在什么上面？

xiǎo mǎ xià de tuì le huí lái zhè hé shuǐ dào dǐ yǒu duō shēn ne
5. 小马吓得退了回来，这河水到底有多深呢？
hái shì huí qù wèn wen mā ma ba
还是回去问问妈妈吧。

小河旁有几朵花？

xiǎo mǎ huí dào jiā wèn
6. 小马回到家问

mā ma niú bó bo shuō hé shuǐ
妈妈："牛伯伯说河水

qiǎn xiǎo sōng shǔ yòu shuō hé shuǐ
浅，小松鼠又说河水

shēn wǒ bù zhī dào zěn me bàn
深，我不知道怎么办。"

小马戴的围巾是什么颜色？

lǎo mǎ shuō　nǐ zì jǐ bù xiǎng yi xiǎng　bú shì yi shì zěn me huì
7. 老马说:“你自己不想一想,不试一试怎么会

zhī dào ne
知道呢?”

老马要小马怎样做?

yú shì xiǎo mǎ xiǎo xīn de guò le hé jié guǒ hé shuǐ jǐn jǐn mò
8. 于是小马小心地过了河，结果，河水仅仅没
guò tā de tuǐ
过它的腿。

小马过河了吗?